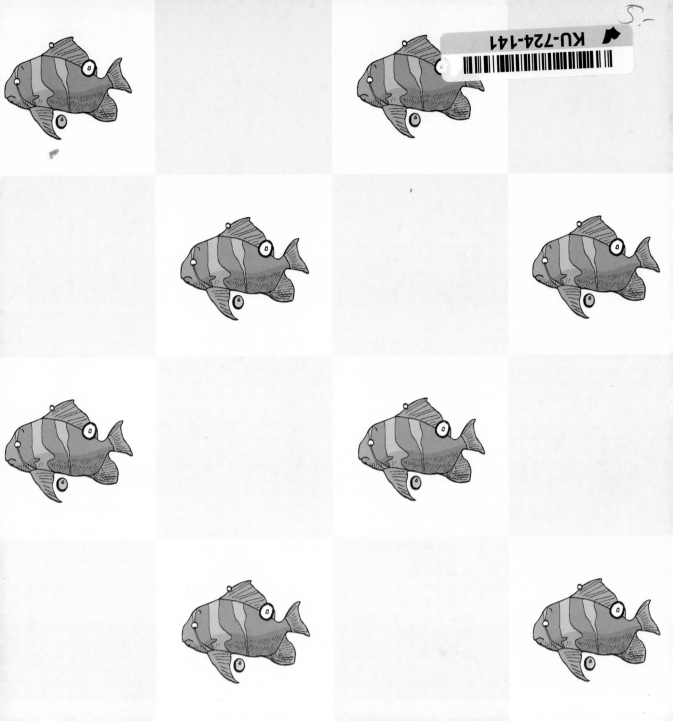

editorial**Sol90**

CUENTOS INFANTILES
© 2004 Editorial Sol 90, S.L. Barcelona
© De esta edición 2005, Diario El País, S.L. Miguel Yuste, 40, 28037 Madrid
Todos los derechos reservados
ISBN: 84-96412-70-9
Depósito legal: M-2549-2005

Idea y concepción de la obra: **Editorial Sol 90, S.L.**
Coordinación editorial: **Emilio López**
Adaptación literaria: **Alberto Szpunberg**
Ilustraciones: **Lancman Ink.**
Diseño: **Jennifer Waddell**
Diagramación: **Teresa Roca**
Revisión editorial: **Santillana Ediciones Generales, S.L.**
Producción editorial: **Montse Martínez, Marisa Vivas, Xavier Dalfó**
Impreso y encuadernado en UE, mayo 2005

La Sirenita

Basado en el cuento de
Hans Christian Andersen

Ilustrado por Lancman Ink.

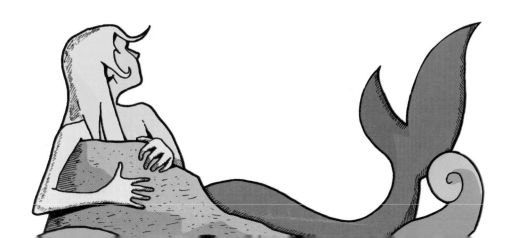

Había una vez, en el fondo del océano, un maravilloso palacio construido con corales multicolores, caracolas de nácar, burbujas saltarinas y perlas de todos los tamaños.

En el palacio vivían el rey y la reina de los mares y sus seis hijas.

La Sirenita, la más pequeña de todas, solía cantar con voz muy dulce. Y pulsaba, como si fuesen las cuerdas de un arpa, los rayos del sol, que apenas se filtraban a través de las aguas profundas.

—Madre —le decía la Sirenita a la reina—, dicen que allí arriba, en tierra firme, se levanta el gran mundo de los seres humanos… ¿Cuándo podré visitarlo?

—Cuando cumplas 15 años —le respondía su madre—, tu padre te dejará que subas a la superficie y lo conozcas…

Por fin llegó el ansiado día. Su padre, el rey de los mares, la llamó y le dijo:

—Ya puedes subir… Pero nunca olvides que nosotros somos hijos del mar… Sé prudente con los seres humanos… Pueden ser muy buenos, pero también son capaces de hacer la mayor maldad…

La Sirenita se deslizó hacia arriba. Y se asombró por el vuelo de las gaviotas, las formas de las nubes, los rizos de espuma en las olas y los rayos de luz que el sol volcaba sobre el mundo.

Logró alcanzar una roca y, desde allí, contempló la inmensidad del mundo. Pronto observó lo más maravilloso que nunca podría haber imaginado.

Cerca de allí, ancló un inmenso barco y, sobre cubierta, vio por primera vez a un ser humano. Era el capitán que, apoyado en la borda, lucía un rostro sereno y hermoso. Ambos se miraron con asombro.

Pero, de pronto, a un lado del cielo, un rayo rasgó las nubes y un trueno se desplomó, como un rugido, sobre el mundo.

–¡Cuidado! –gritó angustiada la Sirenita, pero fue inútil: un golpe de mar arrebató al capitán de la cubierta. La Sirenita se zambulló en las olas y, guiada por su corazón, encontró al capitán y lo llevó hasta la playa.

Luego, la Sirenita lo reanimó con tiernas caricias y tibias miradas. Sonriente, se durmió al lado del capitán.

–¡Un náufrago! ¡Un náufrago!

La Sirenita se despertó sobresaltada al oír los gritos. A su lado, yacía su hermoso capitán. Las voces sonaban cada vez más cerca...

–¡En la playa!... ¡Un náufrago!...

La Sirenita vio a una mujer que, acompañada de sus criados, corría hacia donde ella estaba. La Sirenita se escapó hacia el mar. Antes de sumergirse, alcanzó a ver cómo la dama se inclinaba sobre el capitán, al tiempo que este murmuraba:

–Gracias, bella dama... Muchas gracias... Me has salvado la vida...

La Sirenita nadó y nadó y nadó hasta llegar al palacio de los mares.

–¿Cómo te ha ido? –le preguntó su padre.

La Sirenita tartamudeó al relatarle la fuerza de los rayos y el estruendo de los truenos, pero no tuvo palabras para describir el hermoso rostro del capitán. Y enmudeció al recordar cómo este le había dado las gracias a quien no lo había salvado.

–Los seres humanos son muy extraños… –alcanzó a decir la Sirenita, y las lágrimas se deslizaron por sus mejillas.

Ya nunca podría olvidar el bello rostro de su capitán.

–¿Cómo es posible que tener cola de pez en vez de piernas sea más fuerte que el amor? –se preguntaba la Sirenita.

Pasaba el tiempo, y el recuerdo de su capitán era más fuerte y su pena más grande. Un día, la hechicera de los mares se acercó a ella.

–Solo mi maleficio puede ayudarte... –le dijo–. ¿Quieres volver al lado de tu capitán? Cambiaré tu cola de pez por un par de piernas; pero, cada paso que des, sentirás un fuerte dolor...

–Ningún dolor puede ser más terrible que perder a mi capitán... –aceptó la Sirenita.

La Sirenita subió otra vez al gran mundo de los seres humanos. Nadó hasta la playa; pero, al dar un paso, se desplomó: el dolor era espantoso.

–¿Qué te ocurre, muchacha? ¿Qué te ha pasado?

La Sirenita alcanzó a ver un rostro más hermoso que el cielo azul y el vuelo de las gaviotas y toda la luz del sol: era su capitán, que se inclinaba sobre ella y le tendía el brazo.

–Permíteme que te suba al carruaje... –le dijo el capitán–. En mi castillo te repondrás...

La Sirenita se dejó llevar.

Así es como la Sirenita emprendió una nueva vida. Se vestía con maravillosas sedas y terciopelos, los orfebres más hábiles la homenajeaban y era agasajada con los platos más sabrosos y los postres más exquisitos. Su vida se deslizaba entre días y noches casi mágicas. Los seres humanos eran encantadores.

Del brazo de su capitán, hasta el dolor más atroz de cada paso tenía sentido.

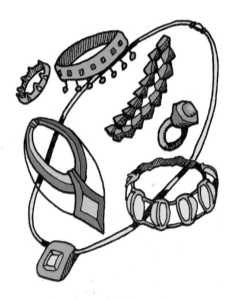

Una noche, la Sirenita fue invitada al baile de palacio. Al entrar en el salón, parpadeó. Los adornos de las lámparas refulgían. Brillaban las piedras preciosas en los pendientes y en los collares de las damas y en las empuñaduras de las espadas de los caballeros.

Pero nada hirió tanto sus ojos –ni siquiera el dolor de cada paso– como sentir que su capitán se detenía al ver entrar en el salón a la bella dama que se le había acercado en la playa, poco antes de que la Sirenita se fuera hacia el fondo del mar.

–Sí –se dijo la Sirenita–: otra mujer ocupa el corazón del capitán.

No se había equivocado. Al poco tiempo, el capitán y la bella dama se casaron.

–El amor es también ver feliz al ser amado –se dijo la Sirenita.

Solo eso le permitió superar el dolor de cada paso. También subir a bordo del barco del capitán, que esta vez zarparía para llevar a la nueva pareja en su viaje de luna de miel.

Siempre que la pena estaba a punto de vencerla, la Sirenita se aferraba a la borda y contemplaba la inmensidad del mar.

Una noche de luna llena, atraída por el llanto de la Sirenita, emergió del fondo del océano la hechicera de los mares.

–Sirenita, tengo el remedio para todos tus males. Toma este puñal –le dijo–. Apenas lo empuñes, podrás caminar y hasta correr y saltar y danzar sin que los pies te duelan...

–¿Un puñal? –se sorprendió la Sirenita.

–Con él darás muerte a la bella dama... –le dijo la hechicera–. ¡Y el capitán será tuyo!

La Sirenita tendió su mano hacia la noche.

–Pero –agregó la hechicera–, si no matas a la bella dama, olvídate de tu capitán: además, caerás al mar y desaparecerás como la espuma de las olas.

Puñal en mano, la Sirenita dio un paso y, en efecto, no sintió ningún dolor. Al contrario, un gran alivio se extendió por toda ella como una inmensa felicidad.

Corrió hacia el camarote de la pareja y fue como si volara, llevada por las alas de su más preciado deseo. Entreabrió la puerta: ahí, en el lecho, junto a la bella dama, estaba su capitán.

–¿Mi capitán? –se preguntó la Sirenita–. Aún no es mío...

El balanceo del barco pareció empujarla hacia el lecho, hacia la solución de todas sus tristezas.

Se acercó y alzó el puñal. Quizás rozado por el brillo de la hoja, el capitán movió el brazo y cubrió el cuerpo de la bella dama.

–La ama… –murmuró la Sirenita–. La ama…

El barco volvió a balancearse y, esta vez, fue como si la alejara del lecho.

"El gran mundo de los seres humanos puede ser horrible… –pensó–, pero también muy hermoso…".

Y, rápidamente, volvió sobre sus pasos.

La Sirenita se acercó a la borda y dejó caer el puñal. Antes de hundirse, la hoja trazó un camino de espuma en el agua: era el rumbo que le marcaba el maleficio. Y se dispuso a desaparecer.

–¡Sirenita! ¡Sirenita! –oyó un tintineo de campanillas–. Somos las hadas del viento... Nos dedicamos a conjurar todos los maleficios que hay en el gran mundo, ya sea en el mar, en el cielo o en la tierra... Ven con nosotras...

Muy pronto amanecería. La Sirenita dio un paso en el aire y levantó el vuelo.

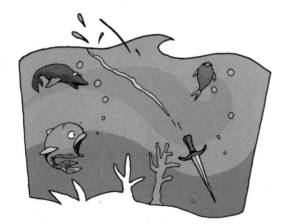

Han pasado los años. El capitán y la bella dama
tienen hijos y, como suele suceder, el más
pequeño no puede dormirse sin escuchar un
bello cuento.

–Había una vez, en el fondo del océano, un
maravilloso palacio… –le cuenta su padre–.
Allí vivía la Sirenita…

El pequeño se duerme, feliz y tranquilo, como en
el mejor de los mundos. Y todas las noches, antes
de cerrar los ojos, cree ver cómo una ligera brisa
agita la cortina…

fin

Actividades

¿Quién lo ha dicho?

Relaciona el personaje con la frase que ha pronunciado. Para ello, escribe en el círculo en blanco el número que corresponda.

1. Solo mi maleficio puede ayudarte.

2. Sé prudente con los seres humanos...

3. Los seres humanos son muy extraños.

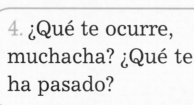

4. ¿Qué te ocurre, muchacha? ¿Qué te ha pasado?

Bienvenido a bordo

Escribe en los recuadros correspondientes estas cinco partes de un barco: **VELA, POPA, ESTRIBOR, PROA** y **BABOR**.

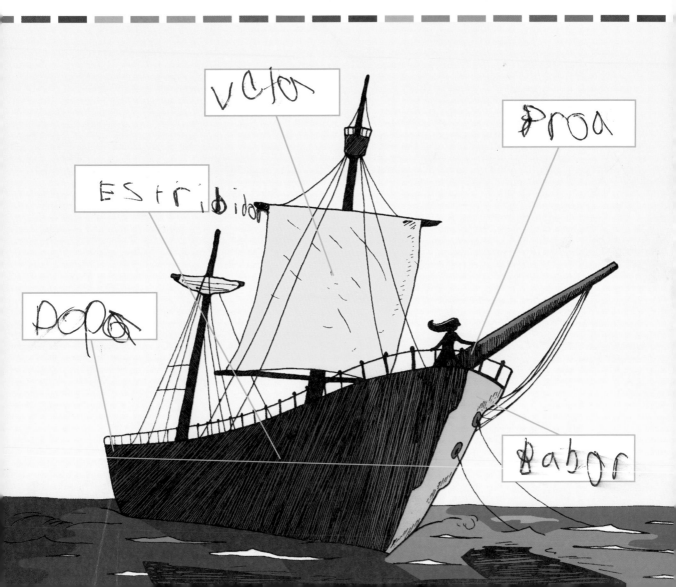

¿Recuerdas?

No te será difícil contestar a estas preguntas si has prestado atención al cuento. Marca con una cruz la respuesta correcta.

(1) ¿Quién vive en el palacio del fondo del océano?

☐ El rey del mar y la dama del lago.

☐ La hechicera del mar.

☑ El rey y la reina de los mares y sus seis hijas.

(2) ¿Quiénes encuentran a la Sirenita y al capitán en la playa?

☑ Una bella dama y sus criados.

☐ Los vigilantes de la playa.

☐ La reina de los mares, es decir, la madre de la Sirenita.

(3) ¿Qué le propone la malvada hechicera a la Sirenita?

☑ Matar a la bella dama.

☐ Hacerle un regalo de bodas al capitán.

☐ Volver con sus padres al palacio del fondo del océano.

Ordena la historia

Numera las cuatro ilustraciones por el orden en que aparecen en el cuento.

¿Sabías qué...?

Según la mitología griega el dios del mar se llamaba Poseidón. Los antiguos romanos, en cambio, lo llamaban Neptuno.

La palabra justa

De las tres palabras que hay en cada una de estas tres columnas, solo una identifica correctamente la figura dibujada. Escríbela encima de la línea numerada.

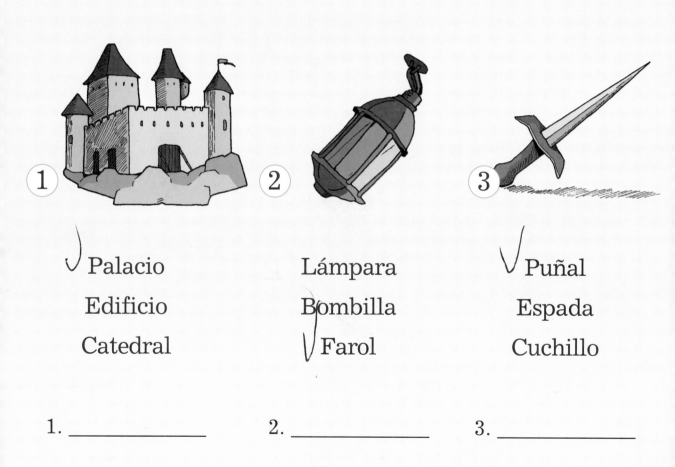

1	2	3
✓ Palacio	Lámpara	✓ Puñal
Edificio	Bombilla	Espada
Catedral	✓ Farol	Cuchillo

1. _____

2. _____

3. _____

Mundo submarino

Escribe en los círculos de la columna de la derecha los números que corresponden a los animales acuáticos señalados en el dibujo.

3 Pulpo

1 Ballenato

5 Pez de color

4 Medusa

2 Cangrejo

Una adivinanza
Dos pinzas tengo,
hacia atrás camino,
de mar o de río
en el agua vivo.

Completa

Al copiar este fragmento de la página 14 han volado algunas palabras rebeldes. ¿Puedes volver a colocarlas en su sitio?

–¡Un _____! ¡Un náufrago!

La Sirenita se _____ sobresaltada al oír _____.

A su lado, yacía su _____ capitán. Las voces sonaban cada vez más cerca…

–¡En la_____!… ¡Un náufrago!…

hermoso

playa

despertó

gritos

náufrago

Soluciones

Página 38

Página 39

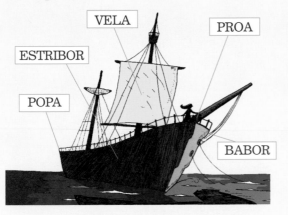

Página 40

(1) El rey y la reina de los mares y sus seis hijas. **(2)** Una bella dama y sus criados. **(3)** Matar a la bella dama.

Página 41

De izquierda a derecha y de arriba abajo: **4, 3, 2, 1**

Página 42

1. Palacio 2. Farol 3. Puñal

Página 43

De arriba abajo: **3, 1, 5, 4, 2**

Adivinanza: **el cangrejo**